sep en saar

Brigitte Minne
tekeningen van Ann de Bode

Zwijsen

sep en saar

dit is sep.
sep met een pet.
en dit is saar.
saar met een roos.

sep is vaak bij saar.
saar is vaak bij sep.
saar en sep.

saar is bij sep.
saar eet ijs met peer.
de peer is dik en zoet.
mmm, doet saar.

sep eet koek.
koek met room.
mmm, doet sep.
in zijn poot zit een pen.

rijm mee, saar.
ik rijm mee, sep.
roos.
in een doos.
boot.
ik eet een noot.

zes.
ik roep bes.
kaas.
ik ben de baas.

moes is er.
moes is een poes.
ze doet sep pijn.
ze bijt in zijn poot.

aa, raak.
tik in de nek van sep.
bijt, bijt.
aa.
ren, sep.
ren.

de nek van sep doet pijn.
zijn poot doet zeer.
saar is boos.
boos, boos, boos.
moes is een oen.
ze is vet en dik en ...

daar is saar met roet.
roet op de neus van sep.
roet aan zijn poot.
sep is net een beer.
boe, boe doet de beer.

daar is moes.
er zit een beer in de boom.
boe! boe! doet de beer.
boe, boe.
beer is boos.

moes is een oen.
sep is mijn maat, moes.
ik ben de maat van beer.

beer is de baas.
ik ren, beer.
ik ren.
aa, beer bijt.

beer is bij de beek.
saar is er met zeep.
de beek en zeep ...
en beer is sep.

moes zit in een boot.
beer beet me.
beer is de maat van saar.
ik vaar ver.

saar eet ijs en sep koek.
rijm mee, sep.
raar.
zoen voor saar.

Serie 4 • bij kern 4 van Veilig leren lezen

Na 10 weken leesonderwijs:

1. in de soep
Frank Smulders en
Leo Timmers

2. een zoen voor kip
Marianne Busser &
Ron Schröder en
Marjolein Pottie

3. kaat en de boot
Maria van Eeden en
Jan Jutte

4. ik ben de baas
Anneke Scholtens en
Pauline Oud

5. tijn en toen
Ivo de Wijs en
Nicolle van den Hurk

6. beer is een boot
Anke de Vries en
Alice Hoogstad

7. boer koen
Martine Letterie en
Marjolein Krijger

8. sep en saar
Brigitte Minne en
Ann de Bode